Pour Louane, encore une fois !
CL

À mes confrères et consœurs de l'atelier !
RG

Dans la même collection :

© 2009, Éditions Glénat
Couvent Sainte-Cécile - 37, rue Servan - 38000 Grenoble.
Loi 49956 du 16 juillet 1949 sur les publications destinées à la jeunesse.
Tous droits réservés pour tous pays.
Dépôt légal : avril 2009
ISBN : 978-2-7234-6779-7
Achevé d'imprimer en Italie en septembre 2012 par L.E.G.O. S.p.A.

Comment ratatiner les dinosaures ?

Catherine
LEBLANC

Roland
GARRIGUE

p'titGlénat

Gare aux dinosaures !
Ces animaux bizarres ont des cornes,
des piquants, des griffes et des dents...
Pourtant, si tu es rusé, ils n'arriveront
pas à te ratatiner !

Les dinosaures à cornes

Si tu te trouves nez à nez
avec un dinosaure large comme un camion,
ne retourne pas dare-dare à la maison !

Siffle le plus fort possible et accroche
à ses trois cornes des contraventions
pour stationnement interdit.
Il ne reviendra plus se garer ici !

Les dinosaures à piquants

Si tu vois un dinosaure impressionnant,
le dos et la queue hérissés de piquants,
rappelle-toi que son cerveau
n'est pas plus gros qu'un pruneau.

Le Stégosaure réagit
très très lentement.
Tu peux le ligoter
en prenant tout ton temps.
Il te regardera bêtement.

Et puis, dis-lui quelques mots :
l'effort pour te comprendre
le mettra KO.

Les dinosaures à plumes

Il n'y a pas de dinosaure dans cette ruelle...
Mais attention ! Un petit Microraptor
et un grand Ptéranodon planent dans le ciel.

S'ils fondent sur toi pour te piquer, ouvre ton parapluie !
Ils rebondiront jusqu'aux cheminées, jusqu'aux nuages,
jusqu'aux étoiles. Ils iront peupler d'autres contrées.

Les dinosaures à long cou

Dans l'allée, sois prudent... Un Diplodocus immense grignote les feuilles au sommet des peupliers. Tu peux toujours essayer de passer en silence, sans te faire remarquer...

Mais s'il t'aperçoit, alors sautille dans tous les sens autour de lui,
jusqu'à ce qu'il s'entortille et se fasse un torticolis !

Les dinosaures à griffes

Prends garde si un Velociraptor se précipite vers toi !
À chaque pied, il porte une longue griffe pour transpercer ses proies.
Et lui ne mange pas que de l'herbe, tu vois...

Il est féroce, il est véloce, tu n'as aucune chance de courir
plus vite que lui ! Jette toutes tes billes sur le trottoir.
Il glissera dessus et ne pourra plus s'arrêter...

On gardera ses griffes en souvenir,
bien conservées dans un musée.

Les dinosaures à dents

Le plus terrible de tous, c'est le Tyrannosaure !
Un géant, menaçant, avec d'énormes mâchoires
armées de dents en forme de poignards...

Ça fait peur, oui ! Alors, sors de ton cartable des pages d'additions.
Fais-en une grosse boulette et, dès qu'il ouvre la bouche
pour te manger, lance-la fort !

Il fera une indigestion d'opérations.

Bravo ! Grâce à toi, tous les dinosaures
ont disparu !
Tout le monde a beau chercher,
on n'en trouve plus...

Sauf si un météore apporte
encore des dinosaures !...